Dustykid®

塵話過②

「只想你
不再難過。」

回想一下，
你由孩童時的年少無知，
成長至能夠獨立思考的現在，
你曾進出過困局多少次？

自序

「困局」是由幾根粗鐵條、一個鐵造的平台、再以粗糙的燒焊技術製作而成。它外表像一個鳥籠，鐵條和鐵條之間留有很大的空隙，意即它其實是一個可以隨意進出的地方。從旁邊看起來，困局並沒有想像的那麼恐怖，它並不堅固得可以把人困住太久。若你長得細小，自我不是很巨大的話，甚至會覺得困局其實是一個既好玩又能有足夠空間活動的地方。

可是，當某些人糊裡糊塗走了進去之後，就會被困局所帶來的壓迫感弄得不知所措。他會感受到金屬所帶來的淒涼感，觀望四周亦只會看到矗立在面前的粗鐵條，雙腳周圍彷彿完全沒有伸展空間，他混亂、他慌張，打從心底就覺得此地不能離開，就這樣把自己牢牢困住了。

這時候旁人可以做什麼？教訓？勸告？這樣做只會令當事人更難冷靜下來；謾罵？指摘？強行把他抽離？那麼他只會更加惶恐不安。其實走出困局並不難，但得靠當事人勇敢提起雙腳，自行步出，所以我們可以做的只有靜心等待，從旁照料，或在鐵籠外面做一些可以鼓勵他及令他可以放鬆下來的事，例如 —— 向他說些小故事。

大家好！我叫陳塵，是這本書的作者，塵就是透過我的字和畫跟大家說故事。這本書的故事內容帶點抽象，輕鬆說道理之餘又特意留下一些思想空間。我希望手握這本書的讀者們，無論你正身處困局之中，又或是希望充當幫助別人解困的角色，也請大家把生活上所遇到的大小經歷對號入座，你所獲得的將會比故事本身來得更多。

每個人一生都會進出數百個大小不一、形狀不同的困局，穿越困局的過程說易且難，但通過練習就能出入自如。這本書，是從前那個一直在困局中掙扎的陳塵，寫給大家的。

目錄

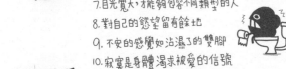

31. 對自己好一點，好好照顧自己

32. 這條路雖然危險，但我找到快樂

33. 你活著的目的，並不是要令她笑

34. 世界很簡單，是人類把它變得複雜

35. 調節自己成為適合世界的人

36. 身處不同層次的人，互相看不到對方的世界

37. 污漬並不能遮蓋你的價值

38. 睡一睡，讓我們逃離一下現實吧

39. 換個想法，就不用在分叉點上蹉跎太久

40. 人生路上的三種人，盲的、啞的、失去手腳的。

41. 在馬路上行駛，即使奉公守法，
　　亦可能會遭別人衝撞。

42. 決心放下令你受傷的東西

43. 時間可以治癒外傷，內傷則要靠自己努力

44. 窺探別人的生活，會令自己失去快樂的時光

45. 我是主角吧？怎麼他也是主角？

46. 享受快樂的同時，亦要作好對危難的準備。

47. 破碎了的關係，修補後難免有點損耗

48. 在起跑線上跌倒的你，不代表走到最後會輸！

49. 花時間欣賞自己的作品

50. 生命本身無重量，所以要帶點牽掛

51. 幫人前，不如先裝備自己

52. 把「原地踏步」當作對身體的練習

53. 傷口終會痊癒，疤痕終會消退

54. 先了解練習的方法，才去練習

55. 當你見到自己擁有的比別人少，會感到缺乏嗎？

56. 不要把別人的壓力放到自己身上

57. 回頭便知，你有能力走得更遠

58. 沒有必然要走的路

59. 用心處理失敗，把它成為接近夢想的梯級

60. 束縛來自別人，還是你自己？

把心窗打開
世界會慢慢變得光明

1. 快樂來自身體的充實感

有些人常玩樂、常歡笑，不停做自己喜歡的事，但仍然感到不快樂。

如何獲得快樂？
怎樣才能擁有由心而發的笑？
快樂的時間能夠延長嗎？
什麼東西才能長久為你帶來快樂？

我們的心像一個空杯，
快樂的刻度劃在心的一個位置。

我們可以用一些充填物去填滿空虛，
當超過刻度，我們便會快樂。

「吃喝玩樂」、「潮流」和「娛樂」
等東西就像乾冰，放進去
很快就給蒸發掉。

「技能」、「感情」和「夢想」
等東西就像水，倒在杯中，
可長久保持。

以一閃即逝的東西當作心靈的填充物，
再多，也不夠多；
只有自己親手建立、根基扎實的東西，
才能長久為你帶來快樂。

2. 感受失望的下墜感

期望是你對於眼前事的盼望，
失望則是期望的反向力。

你從懸崖躍下，自信可以飛到高高的。

當你能夠輕鬆高飛，
自然會感到喜悅。

但若然期望落空，你跌下了，
失落的情緒與離心力相互交集。

初次跌下，感覺可怖。　　再次跌下，不太舒服。　　再三跌下，還算可以。

然後，當你習慣了跌下的滋味，你便不怕把期望放得更高了。

因為你已經明白失望
也不是什麼大不了的事

3.看山，要整座看

我們經常於不同渠道看到成功的人，
他們經常站在山頂上，處身我們不能觸及的高度。
他們看上去總是很耀眼，好不威風。

有時會想，為什麼我這麼遜色？

明明自己已經很努力了，
為什麼我不能身處同樣光景？

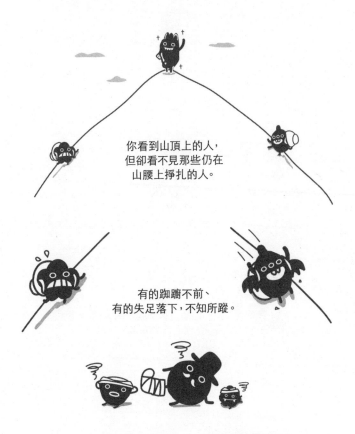

你看到山頂上的人，
但卻看不見那些仍在
山腰上掙扎的人。

有的踟躕不前、
有的失足落下，不知所蹤。

還有一些在山下傷痕纍纍的人，他們都頗有實力的，
而且都是努力的人啊！你覺得自己很遜，
只是因為你未看到現實的全部。

4. 把困難的事想得簡單一點

初學潛水，除了需要揹上重達體重一半的潛水裝備外，
教練會教你水中減壓、操控潛水衣、潛水理論等基本技巧
以應付緊急情況，亦會提醒你患上潛水夫症等潛在疾病的風險。

聽罷，未知的水底世界為你
帶來了前所未有的恐懼

很多人一想到這地步，就會放棄。

旁觀者從旁看潛水,其實只是整理裝備,遵守教練指示,
然後於水中呼吸、輕鬆看水中風光的過程。

對!可能想得有點簡單,但你愈覺得一件事複雜,
愈會選擇不去開始這件事。

更會失去了認識
一樣新事物的機會

5.人生不如意事
或許只是十常一二

年輕時，心靈十分敏感，加上處理事情的技巧不足，
任何小事都有機會觸碰到傷心的神經，情緒波瀾起伏。

而且平常人對傷心的記憶
亦比開心的來得深刻

所以不開心的事也就不自覺地記錄多了，
當時的不如意事似是十常八九。

長大後，心靈比年輕來得堅強，加上我們處理失意的
技巧高了，就算遇到不開心的事，自己亦能安撫自己。

我們對於面對失意多了，處理
情緒的技巧亦隨經驗累積變得熟練。

現在，很多事看起來，再不是年輕時想得那麼糟了！
壞事變少了，不如意的事，十常彷彿只剩下一二。

Let it be.
有些事就隨緣吧

6.適時欺騙自己

騙騙自己有型有款

騙騙自己強大得能解決任何事

騙騙自己可以控制慾望

騙騙自己捱到明天就會快樂......

騙騙自己最好的會在下一刻來臨、
騙騙自己並不那麼差、
騙騙自己總有人會前來愛護......

有些謊言，從精神到肉體，由外到內都騙了自己，
編造了令自己繼續撐下去的理由，是一種為自己打氣的方法。

更可以令人拿出更激昂的士氣和信心去將那些謊言變成事實！

就讓我們繼續欺騙自己
快樂一世

7.目光寬大，才能夠包容不同類型的人

你的目光有多寬大

你自然就能看到有多高大的人；

你的目光狹隘的話，

你便會把高大的人，都看得細小了。

要改善目光，你可以選擇
提升個人修為，多聞多見，
令自己不再無知。

直到有一天，當你的修為提升到一定程度，
你便會發現自己的目光變得寬大了！

你開始能夠理解不同人的觀點，
並且慢慢接納所有類型的人。

這時，世界也會頓時變得遼闊起來。

8. 對自己的慾望留有餘地

晚上,饞嘴的你想吃雪糕,你會選擇怎樣滿足自己的慾望?

你會盡情解放,
大吃大喝?

還是注重健康,
強忍不吃?

抑或釋放些許慾望,
選擇淺嚐?

每個人都有面對慾望的時候，
不用刻意壓抑，但亦不要過分放縱。

你大吃大喝，
可能會落得拉肚子的下場。

你強忍不吃，
在睡夢中仍覺不甘。

選擇淺嚐，
果腹之餘會感到意猶未盡。

這樣便能夠留下空間，
讓你更期待下次。

滿足慾望的過程令人興奮，
聰明的人會懂得留下一點快樂。

9. 不安的感覺如沾濕了的雙腳

難以想像日後的情況，
心靈又不夠強壯，無法給予信心讓自己去處理事情的時候……

「不安的情緒就會產生」

感覺就如沾濕了的雙腳，雖則不會影響日常活動，
但會令自己感覺不自在。

你可以繼續做任何事　　　但兩腳總是冷冷的，心情亦變得煩躁……
　　　　　　　　　　　　　總之就是不舒服。

只要繼續專注事件，心中同時
抱著盼望，不安的感覺終會過去。

雙腳沾上的水，亦會隨著事情的明朗化而慢慢乾掉、褪去。

10. 寂寞是身體
渴求被愛的信號

習慣一個人久了，心中沒有懸念，自由自在，生活倒是活得不錯。

可是偶而遇到寂寞的感覺湧上心頭的時候，
周遭所有事物都變得沒有意義……

寂寞令身體提不起勁，
做些什麼會令自己感覺好一點呢？

一個人看戲變得沉重

獨自品嚐美膳亦難以下嚥

這時不要對自己說：
「這是寂寞給我的考驗。」
寂寞威力強大，單單你一人擊退不了。

再強的人亦難與寂寞抗衡！走出去，找個喜歡的團體，
跟志同道合的人好好相處，紓解一下身體對你的訴求吧。

你本身易碎，
何必強裝硬朗？

11. 尊重每個同伴
走向終點的步伐

我們一般都認為群體應該行徑一致,當所有成員都能共同進退,
就能集結團隊的力量。

但要知道,
每個人都擁有專屬的前進步伐。

勉強將手腳綁在一起行動,就彷彿在玩兩人三腳的運動。

能力不足的人，會拖垮整隊的前進速度；
能力高的隊員又會因為隊友而影響自己的速度，鬧至不快。

何不解開束縛，讓每個隊友
都以自己的方法步速走向終點。

有人會很快到達終點，亦有人會遲遲未能到達，
不要緊，人生的時間很長，只要大家都記住當初開始的承諾，
同伴們總會在終點重逢的。

12. 把目標放在「跟最厲害的人站在一起都不失禮」的程度吧!

積極的人都會在自己所屬的範疇中努力向上,希望自己能成為最強的人。

但欣賞過地球上最厲害的人演出後,有些人會質疑自己的能力,
因為覺得自己跟厲害的人不可相提並論……

深怕自己再花幾十年的光陰,
亦追趕不上他們的程度。

這種想法，似是把整個地球的重量都壓到身上，是壓力的來源。

地球上只有一個人可以成為最強，
若每人都以「成為最強」為快樂指標，
這世界就只有一個人可以快樂。

不論野心多大，都可以把目標放低一點。

就把目標放在「跟最厲害的人站在一起都不會失禮」的程度吧！
比較容易達成之餘，你更能享受其中，而你亦能得到大眾的認同！

13.我們一生花費 太多時間去後悔

面前生活上所有「做或不做」
的決定,你多會怎樣選擇?

塵玩棒球,他每投出一球,
就要花相當力氣,所以他很傷腦筋……

塵想「這球會得分嗎?
還是會被打擊?」

「被打敗了,必會迎來
失望,那為什麼還要投球?」

「我投了會成就什麼?
我會遇到什麼?會揚名立萬嗎?」

當塵選擇不投球，塵會後悔，
以後他就只能利用想像力去估算投了球之後的光景。

塵往後十年，每3天就記起這件事一次
每次花上10分鐘去想像結局，
一個月就花了100分鐘，
10年共花12000分鐘……

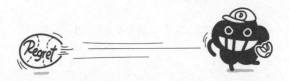

後悔所浪費的時間，比他最初決定投球的所需時間長得多了，
人生太短，塵決定投出此球，不再花更多的時間去讓自己後悔！

14. 丟掉爛掉的東西，是為了令它有重生的機會

「我擁有它，為什麼要我將它丟掉？」

任何實在的物體都會老化，握在手上的蘋果就是例子。

人的記憶總是歷久常新，當我們長期對著同一件東西，
就會難以察覺它的變化，腦海中的新鮮狀態跟現實的糜爛形成落差。

人亦長情，總是希望手上已經爛掉的東西
回復到剛剛認識的一樣。

爛掉了的果實，
勉強拿在手上也無補於事。

不如就把它掉在外面的土壤，
讓它有機會去成長吧。

或許它日後能夠重生成為
另一棵大樹呢，到時結出的
果實一定會比現在的更加甜美！

15. 追趕目標的
路是孤獨的

追求成就，就像跑步的過程。

站在起點的你，聽著強勁的音樂準備開跑！
你精神抖擻、衣裝齊整，背後支持者的歡呼聲不斷。

然後你起步跑，
一開始就跑離了那些支持你的人。

一段時間後，你會因運動而大汗淋漓，
熱得脫掉衣服，連強勁音樂也丟棄了。

一路上，只得你一個人的孤獨，只有你一個人在奮鬥⋯⋯

若你選擇放棄，你就可以立刻回到那些支持者身邊，
立即逃離孤單，但你留下了遺憾。

若你堅持跑到終點，你亦能再見到那些支持你的人，
而且你心裡會同時充滿著「達成目標」的喜悅。

而那些在丟掉在路上的東西，
你已經不再在乎了。

你的真面目是什麼？
就是表現得
最自然的那個吧？

16.失落的東西可能 近在咫尺

「有一天我突然心緒不寧，似是 遺失了一些原本屬於自己的東西。」

所以我決定走遍整個世界去尋找

我不停去詢問別人：
「你有看過嗎？」

就算是無稽的
辦法，也去嘗試。

但仍然找不到……

最後我回歸本源，嘗試走進自己的內心翻找。

原來那件東西，一直就放在我內心抽屜中的一個角落，
它一直都在，只是記憶把它掩蓋了而已。

17. 若你是瘋子，就想像自己是超人吧！

生活在現代社會，有太多規矩了。

這些規矩，似枷鎖般把
我們的想法束縛著

想法再大也會被壓制，這樣又如何產生偉大又精彩的新思維呢？

瘋子一般都不遵守社會規則做事，
所以也就沒有什麼東西可以綁住他們。

若然你是瘋子，
就儘量將想法無限放大吧！

就想像自己是超人，去做一些偉大而精彩的事情吧！
否則就太浪費了！

18.定期清除一下
留在身體的淚水

水分佔人體含量達70%

當身體分泌淚水，又不排放出去時，

體內的水分含量就會變多。

這時人就像吸滿了水的海綿一樣

泡在水中太久，身體似是缺了力量似的，就算站著也會很易倒下，
身和心亦會慢慢變得軟弱。

找個方法，將淚水從身體排出。

你就會慢慢變回健壯的自己，同時你亦會感覺煥然一新。

所以，找個好時辰，
盡情哭吧！

19.突如其來的衝擊，可喚醒心深處的知覺

活得過於安定了，
每天的生活漸漸變得公式化。

遇上再刺激的事，身體也再沒有
什麼特別反應，臉上也失去了
豐富的表情。

無論笑或愁都會很快
回復平靜，體內的五臟六腑
像被封閉了似的。

這時，不如去找一件喜歡的事情，
瘋狂投入當中吧！

結果或許會迎來傷心失落，
但不要緊的……

苦口良藥，心痛的感覺像是一劑強勁配方。

痛過之後，身體的反應恢復，
生命像被重新啟動了！

20. 不要再向 死胡同挖洞

人生是一個大迷宮，雖錯綜複雜，但總有路走，同時也設有不同出口。

你不知每段路會走向哪一個出口，
但用心地走，終會找到。

一邊走一邊動腦筋，嘗試不同路線的話，你就可以快速離開迷宮，
到達自己想到的地方去。

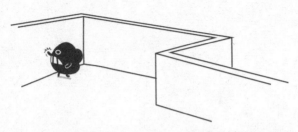

有時你以為有路可通的地方，走了良久方知道是走不下去的死胡同，
這時你明明可以選擇回頭……

但你不甘心，繼續向著死胡同的牆拚命的鑽。
但由於死胡同的牆壁是以精鋼打造，再努力亦難以鑽出洞來。

所以回頭走，找尋其他路線才是最佳方法啊！

好好記錄走錯的路線，設法
不再重蹈覆轍，你就能更快離開迷宮呢！

年輕時的稜角，
總會不經意傷害了人

21. 好好看待
自己的短處

你介意自己的短處嗎？介意得不想承認吧？

你感到討厭，甚至不敢把目光轉向它，
皆因你心裡一直厭惡這個短處。

別人提起這個話題，你會避而不談。

但你想想，這個產物是你製造的，
連你都不承認它，它也太可憐了吧？

而且你希望每天提心吊膽帶著
這個短處過一輩子？

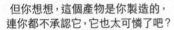

用一把尺，精確地度量這個短處，
知道它跟標準的差距後，
用心將它鍛煉至達標。

這樣子，你身邊再不會有不能提起的死穴，
或許日後你更會獲得一項令你驕傲的新技能呢。

22. 將學問理解透徹，才懂得當中樂趣

看一場足球賽，不懂足球的人會覺得這是一大班人追逐皮球，
然後把它踢進網子裡的遊戲。

但當你真正鑽研過足球後，
你就會留意到當中所使用到的技術，
你懂得閱讀整個球賽的佈局。

這時，足球再不單純是足球，你會覺得正在觀看著一盤棋賽。

然後當你完全理解足球，把所有理論和技術都融入血肉之中，
每一個動作都不需再經過大腦思考時⋯⋯

身體亦會自動在不同情況下
作出相應反應

這時你就算身處緊湊的球賽當中，每一分鐘你都在享受足球，
這就是專家才能感受到的樂趣。

23. 不要放棄
會令自己快樂的事

當你為了一件事而廢寢忘餐，
忘形地只想不停地做時，
這就是一件會令你感到快樂的事。

在做快樂事的時候你才感覺自己活著，單純享受過程。

你感覺出生就是為了做這件事，就算這件事對你來說沒有任何回報。

你樂得不想停手，就算別人好心勸你休息，
但休息對你來說反而是浪費時間。

你腦海只是想著如何把事情做好，
不讓你做，反而會令你不快樂。

這種前所未有的感覺，是世間罕有的，你遇上了千萬不要放它走啊！

24.歷盡艱險
的旅程,更加
值得回味

你準備齊全,揚帆出海。

但自然界會帶給我們意想不到
的經歷,以下兩種,你會選擇哪一種?

你會寧願沿路歷盡艱險⋯⋯

歸來時跟朋友分享苦痛的探險經歷；

還是沿路風平浪靜......

跟朋友分享平淡的航海日記？

25. 我們都是現代 井底之蛙

小時候我們都看過〈井底之蛙〉的故事，故事的主角以為井內
就是全世界，對於外面發生的所有事都不屑一顧。

現在身處城市的我們，資訊發達，
看似上一上網就能知天下事……

可是抬頭望天卻只能看到窄小的天空，因為四周都被樓景遮蓋了；
網上看到的，又只是被篩選過的資訊。

我們生活在一個
現代的井中看世界

作為現代的井底之蛙，應該吸收寓言故事的道理，
就跳出井外，看看這個世界跟我們所知的是否一樣吧？

你說:「我失去了船!」
我說:「你還有我的手」

26.舊事有多難嚥, 都已給消化掉了

那些不堪回首的舊事,就像藏在身體內的大便一樣。

你不欲想起之前難過的景況,
但身體卻切實地反映著你
所經歷過的事。

宿便積存會影響身體,而且肚子總是滿滿的,你感到很不舒服。

多喝水、多吃菜、多做運動，
儘量做一些對身體好的事。

有一天，便意來臨，就衝到馬桶將它排出吧！
記得最後灑脫地向它們說一聲BYE啊！

跟舊事永遠分手，自己就能得到解放！
感覺真爽！

27.妥善分配,能增加快樂的配額

你擁有一份食物,一個人享用可以完全果腹。

更可以得到美味食物所帶來的滿足感。

一份食物換來一份快樂,值得!

若你把食物分成兩份,分給身邊的人享用……

每人雖則只分得半份食物,但輕輕的飽足感覺亦能令人舒暢,
更重要的是,兩人都因食物而得到了快樂。

每人半份食物,但換來兩份快樂,
更值得!!

28. 偏左？偏右？
還是取其中庸吧！

追求目標的過程就像走鋼索，勇敢的你從起點起步，
戰戰兢兢地向著終點前行。

鋼索兩旁，右邊是屬於
熱情的火海……

左邊則是冷冷
的冰山。

當你過分熱情，不小心走偏了，就會被火燒而掉下。

當你過分冰冷，你亦會因凍僵而跌倒。

惟有穿插在熱情和冰冷之間，
用最中庸的方式慢慢向著目標前進……

抱著平常心，才是最易到達終點的方法！

29. 你會選擇充當海綿嗎?

一班朋友把酒談天,空氣中瀰漫著人與人的對話。

說話長在別人的嘴上,
所以我們難以控制對話內容的質素。

有些人為了保護自己的立場,會變得像鏡子,
把好的和壞的說話都直接反射回去。

有些人遇到帶有攻擊性的說話時，會化成彈弓，
用說話加倍反擊別人。別人受到傷害之餘，自己亦感到難受。

有些人則是海綿，會吸收各類型的說話，
努力不讓交談環境充斥負面氣氛。

但之後，充當海綿的人就要自行
找個地方，排出深藏於體內的
負面情緒⋯⋯

你會選擇做這個不起眼的角色嗎？

30.寧靜一下，為自己重新迎來單純

截至此時，我們所吸收到的知識份量已經遠超過古時人類一生。

古人見識較少，所以單純的事
就可以叫他們興奮。

當他們聽到一則新的資訊，感受會強烈得
像一部F1方程式賽車在他面前跑過時所帶來的震撼。

可是來到這個資訊氾濫的現代世界，
每日數以億計的新知識不停
衝擊著我們的腦袋。

感官早已變得麻木了，即使1000部F1方程式賽車在面前不斷跑過，
也沒有了當初的興奮，反而愈趨厭煩。

若我們嘗試關掉手機，放空一下，
停止接收資訊，重歸寧靜⋯⋯

可能遇見一隻小蝸牛
也能重新感動我們呢⋯⋯

這是保持生活熱情的技巧吧！

就算在外面發生了什麼事，
這裡永遠歡迎你回來

31. 對自己好一點，
好好照顧自己

我們期待受傷時會有人前來好好照顧自己......

但別人又怎麼知道
什麼方法最能安慰你呢？

他們的方法，是自己認為好的方法，你未必合適，亦未必感到舒服。

反而可能會令你再度受到傷害

將對別人的期望，化做善待自己的能量。

讓最認識自己的人 ── 你自己，
好好照顧自己！

因為沒有人更了解你了

32.這條路雖然危險，但我找到快樂

當人人都說：「那邊很危險啊，回來吧！
終點不在那個方向啊！」的時候......

有沒有想過我樂在其中呢？

不跟隨大隊，走一條自己想走的路⋯⋯

比起跟一大班人在廣闊大路上你追我趕，
來得輕鬆自然！

而且我看到的光景，
跟尋常人看到的完全不一樣啊！

33.你活著的目的，並不是要令她笑

她開始疏遠你了，你感到有壓力嗎？

她說跟你一起沒有
共同話題，是你的責任嗎？

她說不要你了，
你有做錯什麼嗎？

想一想，如果你只是專注
活出自我而已，你有什麼問題呢？

你出生不是為了取悅任何人，你是什麼人，就自然會遇到欣賞你的人。

透過改變自己本質去遷就他人而得來的快樂，不是你想要的吧？
你的人生還長呢！總會遇到知音人！

34. 世界很簡單，是人類把它變得複雜

所有住在地球的生物，一生都非常簡單......

簡單得只用「捕食」、「繁殖」
和「休息」三個詞語，就可以基本
形容他們的一生。

我們的出現，破壞了這種和諧的規律。
人類有別於其他生物，除了上面三種詞語外，我們的生命還有……

「好奇」、「利益」、「慾望」、
「夢想」、「愛」、「尊重」、「成就」、
「社交」、「享受」、「情」、「建立」、
「歷史」、「選擇」、「計劃」、
「安定」、「經歷」、「教育」、
「成熟」、「情緒」等
不會在其他生物身上找到的詞語。

人生太複雜，太多目的，當你開始不知道該怎樣活的時候，
不妨嘗試減去以上幾個詞語，你的人生道路可能會變得簡單一點。

35. 調節自己成為適合世界的人

地球這麼大，總會有一個國家、一個地方、一個民族
比較適合某一類人居住。

若你不安於現在身處的空間，
就走出去選擇自己理想的地方吧！

但現實是，每個地方都有
其政策完善的地方，
也有其崩壞的一面……

當你與新地方的蜜月期過了，問題和失落感就會慢慢湧現，
就像當初你離開的地方一樣。

所以最先改變的，
應該是自己的生活態度。

能做到適者生存的人，
才能在每個地方都活得快樂！

沒有傷痛，何來收穫？

36. 身處不同層次的人，互相看不到對方的世界

身處低層的，活在高層的陰影底下......

所以愈高層的人，
看的風景愈多。

處於低層的，眼前只得
一片漆黑。

放手，走出去⋯⋯

其實你所看到的天空可以
和高層看到的一樣！

更會接觸到很多位於地面，高層接觸不到的事物！

這時，你還會羨慕身處高層的人嗎？

37.污漬並不能
遮蓋你的價值

一顆璀璨的鑽石

意外掉進了泥沼

污泥掩蓋了它的光芒

但身處泥沼的鑽石
並沒有失去它的價值

雖然人們難以發現到它的存在

但任何東西都不能磨損
堅硬的鑽石，鑽石不怕等待。

它知道終會有人在不久的將來走到它面前

替它擦去污泥，而它會璀璨依然，光芒依然。

38.睡一睡，讓我們 逃離一下現實吧

現實世界是難以逃脫的，只要一天你仍活著，
你的生命仍會繼續，世界仍在運作，所有事仍要面對。

但人生並不殘酷至極，
因你尚有可以逃避的時候！

睡眠就是這樣的一個機會。

如果你正在等待一些不能控制的結果發佈，
就好好睡一個大覺吧！睡到結果公佈為止。

睡覺是略過難捱感覺的
最佳方法啊！

當然，若果你所面對的是能夠靠雙手控制結果的事，
就不要去睡了，利用夜深的時間努力逆轉眼前的景況吧。

39.換個想法，就不用在分叉點上蹉跎太久

人生路上，我們會遇上不同的分叉點。

到底哪一邊才是最佳的選擇？
走下去會有什麼後果？

你怕留下「遺憾」，所以猶豫不決，
以致在人生的分叉點上停留很久。

試試這樣想。
其實在每個分叉點的前面，在平行宇宙的另一個
自己已經選擇了一個跟你想法相反的決定，
他為你做了你沒有做的事。

人生幾十年間，你已經繁衍了幾萬個身處平行宇宙的自己了，
他們為你完成了你人生中沒有完成的路線。

所以就憑直覺去選擇走哪條路吧，
浪費時間，才是人生中最大的遺憾！

40. 人生路上的三種人，盲的、啞的、失去手腳的。

在路上，每個人都希望
能用自己的力量走到目的地。

你遇到盲的那個人，由於不能靠雙眼分辨方向，
所以在路上處處碰壁，要不停詢問路人才能前進。

另一個人則是啞的，只能用自己的雙眼去了解世界，
雖然走了很多冤枉路，但總算能夠走到終點。

最後的一個，沒有手腳，他向你問路，釐清方向了，然後自己就滾了出去。
雖然弄得滿身傷痕，但最終還是能夠到達想到的地方。

每人都有不同的無形缺陷，
只要前進的決心足夠堅強，
哪有走不到終點的理由呢？

世界不是毀於魔鬼，
而是毀於對任何事
都不聞不問的人

41. 在馬路上行駛
即使奉公守法,亦可能
會遭別人衝撞。

你在路上駕駛,小心翼翼,不想踫到任何人造成意外。

但路上,你就算沒有撞人的動機,也有可能會被別人撞上。

這可能是你的疏忽,也可能是
跟別人的行車速度不同而造成。

你有時亦會遇到橫衝直撞的車子，經常胡亂切換車道，險象環生，
你知道總有一日會被他撞倒。

GOGO
GO

但你沒有什麼可以做的，因為你控制不了別人的車子，
只能繼續安分守己。

意外永遠難料，
你能做的只有做好自己了！

42. 決心放下令你
受傷的東西

有時握在手上的東西，會慢慢長出刺來。

你感到痛楚，但就是捨不得把它放開，
你愈握愈緊，終於戳破了皮膚，流出鮮血。

你愈握,刺就插得愈深;
傷口愈大,血就流得愈多,
然後你就愈難放手……

而且因為你雙手都拿著東西,
所以不能騰出雙手去抓住更美好的東西……

決心放下吧!就讓新生活從這一刻開始。

43. 時間可以治癒外傷,內傷則要靠自己努力了

時間是世上最好的外用藥,

雖然藥性緩慢……

但只要信任它,靜靜地等候,時間就會好好把你治癒。

你臥在床上,經過了許多個日與夜後,你的傷口會慢慢結疤,痊癒。

你的慘痛記憶亦因身上的傷口褪去，而變得不再清晰。

可是，心內的痛楚呢？
創傷帶來的陰影呢？

這些症狀，就要靠你自己走下床，到外面的世界活動一下，
好讓汗水替你排出體內的傷感，這時你才真正痊癒啊！

44.窺探別人的生活，
會令自己失去快樂
的時光

你拿著望遠鏡，以觀察別人的生活為樂。

你看著別人的聚會、
追求夢想的過程、
享受生命的瞬間。

你看著別人很快樂，
所以你不快樂……

其實很多很多精彩經歷，就在你坐著觀察的同時，
他們正在地球的另一端經歷……

你選擇花精神時間去
窺看別人的生活

何不選擇活出自己的人生？

45.我是主角吧?
怎麼他也是主角?

人類的眼睛生在頭上,當我們360度自轉時,我們會成了中心軸……

這時世界彷彿繞著我們轉,所以我們經常都認為自己是主角!

可是,每個人的眼睛都生在頭上,
每個人都是主角的話,
那麼誰是配角?

我們在生活中，對自己不是那麼突出而感到沮喪的時候，
不妨問自己一條問題：「我不是主角嗎？」

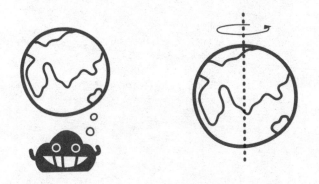

回答自己：「不如想想，其實地球的中心在轉動……
我們都活在地球上，所以地球是主角，我們只是世界的一部分。」

不要把自己看得過大吧

一個人的力量不夠，
但一班人就很強大！

46.享受快樂的同時，亦要作好對危難的準備。

身處快樂中，我們會樂而忘返。

但快樂會隨時崩潰，
所以要時刻留意可能會
發生意外的地方。

居安思危，花一點氣力，
去避開意想不到的意外。

不時對快樂進行維護及修補

做好準備,你就會在樂極忘形的同時,
避開多次令你受傷的意外。

亦能在不知不覺間
將快樂的時間延長

47.破碎了的關係，
修補後難免
有點損耗

感情是水

關係是杯

兩人的相處就像是一起將水倒進杯子，感情就是如此累積起來。

彼此攻擊的說話就像鎚子，
每一句都會給杯子添上裂痕……

當水杯出現破洞，裡面的水就會流出，
感情也隨之流走。

水杯的破洞有方法可以修補，
可是每一次修補，都會留下痕跡。

而水杯本身亦不能
回復最初的平滑。

48. 在起跑線上跌倒的你，不代表走到最後會輸！

你準備不足，在起跑時於起點跌倒了。

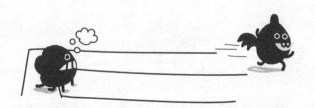

當別人已經跑到老遠的時候，你在想什麼？

快快站起來吧！這不是100米短跑賽，
你參加的是長跑賽啊！

只要硬著頭皮，合著雙眼，用自己最快的速度在
屬於你的路線上向前狂奔……

一步一步，你仍然可以追上去的！

49.花時間欣賞
自己的作品

還記得去年自己做過什麼事嗎？

你應該記得的，但沒法重拾當時的心情和興奮，對吧？

快樂、歡愉等感覺是不能回味的東西，
只能於當下一刻感受那些滋味。

完成一個作品後，無論是於工作中整理得
齊齊整整的文件檔、還是自覺創作得完美的雕像……

所有曾經用心營造的作品，也請花些時間好好去欣賞吧。

順便讚賞一下自己的努力。

50.生命本身無重量，
所以要帶點牽掛

生命蘊藏你身體內，是你的一部分，平常生活通常不會輕易感覺到它。

但當你對自身的狀況有所不滿，很想改變或完成某些事的時候，
你心裡就會產生一些牽掛。

這些牽掛會吊懸在你的生命上，不停搖晃盪樣，令你坐立不安。

這時你心裡就會頓時出現付諸行動的決心

一點的牽掛可以令你感覺到生命的重量，
讓你知道自己生命該走的方向。

因為曾經歷黑暗，
所以我們珍惜光明

51. 幫人前,不如 先裝備自己

大家都明白,身邊有很多人都需要幫助,
而你亦不介意花時間去幫助他們。

但當你自身能力並未成長到
一個很成熟的程度時,
你可以靠自己雙手幫助多少人?

你愈幫，只會愈覺得力不從心。

而且你亦可能因此自責……

盡力幫助後，再多花些時間去修煉自己吧，
也讓傷心的朋友藉著失落而成長。

當你成為更有能力的人以後，
你自然就可以幫助更多人。

52.把「原地踏步」，當作對身體的練習

有時我們會處於一個狀態，不停地跑卻只能原地踏步，
但不用力跑就會跌倒⋯⋯

身處這個尷尬的情況，
我們只好繼續不停地跑，過程艱苦。

但跑步的過程可當作是鍛煉身體的機會。

當你不斷鍛煉身體，終有一日會強壯得
能夠突破這個尷尬的關口。

而你亦因為這次難關
而變得強壯起來。

53.傷口終會痊癒，
疤痕終會消退

不舒服，你想分開；

分開，就會受傷；

受傷，便覺痛楚；

痛楚，會持續減退；

減退了，卻留下疤痕；　　　　疤痕，令你想起過去……

若干時間過去，疤痕會消退，
你亦重新快樂。

受傷的過程，
雖則震撼十足，
但每次都能順利康復！

54. 先了解練習
的方法，才去練習

你想成為射門高手，
所以你去練習射球......

練習時...... 有時會向左偏。

有時會向右偏

有時又會踢得太高......

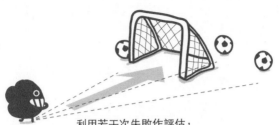

利用若干次失敗作評估，
研究失敗原因和改善練習方法。

你終會嚐到一次進球的經驗！

努力拿捏這次進球的感覺，
重複不停地踢……

直到身體記住進球的方法，
你就會正式成為一個射門高手！

55.當你見到自己擁有的比別人少，會感到缺乏嗎？

你現在擁有一定份量的東西。

透過這東西，你可以滿足你的興趣、玩樂和休息等慾望。

但當有一天，你看到更有份量的東西後……

你心中就會萌生一種想法：「我好像缺了什麼？」

然後你會開始追求更有份量的東西，
再也做不回當初知足常樂的你……

也許不是每日都有好天氣，
但每天總會有好事發生。

56.不要把別人的壓力放到自己身上

每個人都背負著一些壓力，
無論是學業、工作或是感情。

由於壓力要一直帶到終點才能放下，
所以你會因為它而一直前進，
人生就是靠壓力來推動。

但有些壓力,其實是不必背負的,很多時候只是當局者的一廂情願。

很多人會因為太重的壓力而導致焦頭爛額,而事情亦毫無寸進。

所以,壓力最好由身邊的人一起背負,事情也能夠解決得更輕鬆啦。

57.回頭便知，
你有能力走得很遠

你一直走……一直走……

走了很久，仍未看到終點，難免會感到氣餒。

轉身

這時，不如回頭看看自己走過的路吧！

細心回味自己留下的每一個腳印......

你會發現原來自己已走了很多，經歷了很多。

過去的腳印像前進的證據，它在推動你繼續走下去。

58. 沒有必然要走的路

這條叫命運的隧道，你一直向前走了良久。

走得快，走得慢也好，我們仍是在同一條隧道中走……

我們以為一生就這麼過了

停下來想想，這裡還有別的方向嗎？

決定找尋新的方向後，
就用心探索。

當找到缺口，就用力挖掘。

你可能會得到解脫，然後走上一條更廣闊的路啊！

59.用心處理失敗，
把它成為接近
夢想的梯級

有時夢想太高

你會難以觸及

而且會遇上「失敗」......

把「失敗」好好整理，你會愈來愈接近夢想。

就算最後觸不到夢想，
那些「失敗」依然能夠令你站得更高、看得更遠！

60. 束縛來自別人， 還是你自己？

有時你想追求某樣東西時……

你會發覺有些什麼束縛著自己

回頭一望……

通常都是你自己，所有限制都是來自自己的東拉西扯。

解決方法很簡單，只要拿一把剪刀，
下定決心剪掉束縛就可以繼續前行了！

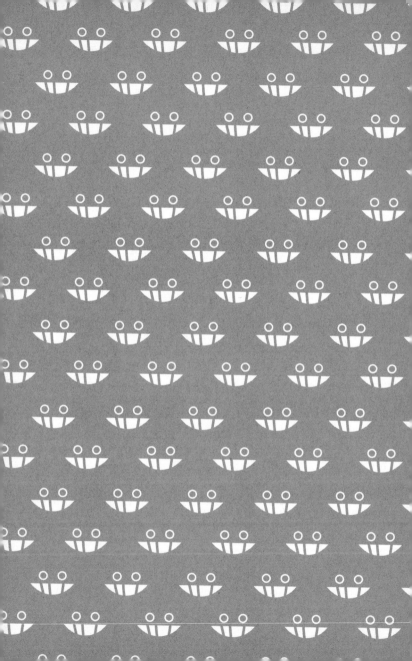

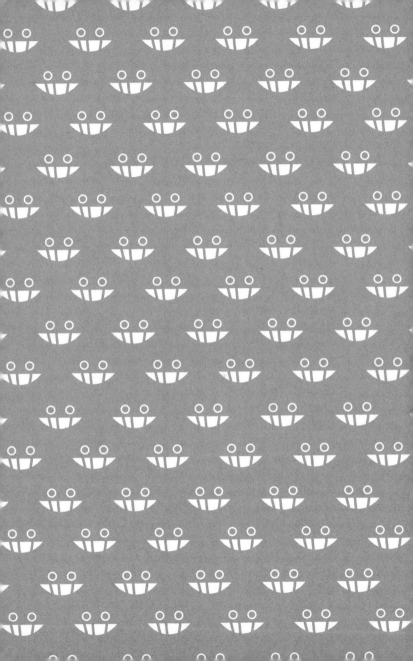

書名	Dustykid塵話過2〈只想你不再難過。〉
作者	Rap Chan 陳塵
出版人	林慶儀
編輯	亮光文化編輯部
設計	Breeze Factory Ltd

出版	香港商亮光文化有限公司 台灣分公司
電話	（886）2391 9773 /（852）3621 0077
傳真	（886）3322 9717 /（852）3621 0277
電郵	info@enlightenfish.com.hk
亮光網址	www.enlightenfish.com.hk
亮光臉書	www.facebook.com/enlightenfish
	www.facebook.com/TWenlightenfish

版權代理	Breeze Factory Ltd
電話	（852）2618 6158
電郵	info@breezefactory.com

印刷所	宏廣文化事業有限公司
地址	新北市中和區建八路205號11樓

定價	新台幣260元
法律顧問	鄭德燕律師

© DustyKid 2016 by Rap Chan / Breeze Factory Ltd.

二零一六年十月初版　　　ISBN　978-988-8365-64-7